Billy Stuart
Dans l'antre du Minotaure

Zintrépides

billystuart.com

Catalogage avant publication de Bibliothèque et Archives
nationales du Québec et Bibliothèque et Archives Canada

Bergeron, Alain M.

Dans l'antre du Minotaure

(Billy Stuart ; 2)
Pour enfants de 8 ans et plus.

ISBN 978-2-89435-532-9

I. Sampar. II. Titre.

PS8553.E674D363 2011   jC843'.54   C2011-940909-7
PS9553.E674D363 2011

Éditrice : Colette Dufresne
Graphisme : Marie-Ève Boisvert, Éditions Michel Quintin

Le Conseil des Arts du Canada
The Canada Council for the Arts

Québec ≡≡

Patrimoine
canadien

Canadian
Heritage

La publication de cet ouvrage a été réalisée grâce au soutien
financier du Conseil des Arts du Canada et de la SODEC.
De plus, les Éditions Michel Quintin reconnaissent l'aide
financière du gouvernement du Canada par l'entremise du
Fonds du livre du Canada pour leurs activités d'édition.

Gouvernement du Québec – Programme de crédit d'impôt
pour l'édition de livres – Gestion SODEC

ISBN 978-2-89435-532-9

Dépôt légal – Bibliothèque et Archives nationales du Québec, 2011
Dépôt légal – Bibliothèque et Archives Canada, 2011

Éditions Michel Quintin
C.P. 340, Waterloo (Québec)
Canada J0E 2N0
Tél. :   450 539-3774
Téléc. : 450 539-4905
editionsmichelquintin.ca

1 1 - W K T - 1

Imprimé en Chine

Billy Stuart
Dans l'antre du Minotaure

Zintrépides

Livre 2

Texte : Alain M. Bergeron
Illustrations : Sampar

ÉDITIONS
MICHEL
QUINTIN

Billy Stuart

Foxy

Yéti

Les Zintrépides

Galopin

FrouFrou

Muskie

AVeRTIsSęmENt

Billy Stuart n'est pas l'ÉLU avec un grand É. Il ne chevauche pas un ours polaire. Il ne porte pas d'anneau au doigt ni à son oreille. Dans ses tiroirs, il ne cache pas de collection de masques ou de pierres. Il n'a pas de daemon qui marche à ses côtés depuis sa naissance. Son front n'est pas zébré d'une cicatrice.

Bref, le sort du monde ne repose pas sur ses frêles épaules.

Billy Stuart n'est qu'un jeune raton laveur ordinaire à qui sont arrivées des aventures extraordinaires.

Voici le deuxième récit qu'il m'a raconté.

Alain M. Bergeron

Un 18 mai dans la ville de Cavendish.

MOT DE L'AUTEUR

Cher lecteur, je me présente : Je suis Alain M. Bergeron, l'auteur à qui Billy Stuart a raconté ses nombreuses aventures.

Au fil des pages, tu le remarqueras, il m'arrive d'ajouter mon grain de sel directement dans la narration faite par Billy Stuart, afin de :

A) préciser davantage un point ou une information ;
B) rajouter un commentaire personnel ;
C) m'amuser ;
D) l'ensemble de ces réponses.

Ma présence dans ce livre et les suivants se fait par l'intermédiaire du « Mot de l'auteur ». Tu repéreras facilement ces interventions grâce à l'encadré qui ressemble à une note collée dans la page.

Voilà. Tu peux commencer ta lecture.
Et je signe ce mot de l'auteur :

 (Tu devines pourquoi, non ?)

RÉSUMÉ

Billy Stuart s'est engagé à prendre soin de FrouFrou, le chien des MacTerring, durant tout l'été. Les mois de juillet et d'août ne s'annoncent pas très excitants pour lui, jusqu'au jour où il reçoit une lettre de son grand-père Virgile. Celui-ci prétend avoir découvert, dans une grotte, une voie de passage qui lui permettrait de voyager dans le temps. Billy Stuart se lance sur ses traces, accompagné des membres de la meute des Zintrépides... et du chien FrouFrou. Ce que Billy ignore, c'est qu'une fois cette voie de passage franchie, il n'y a plus moyen de revenir en arrière... C'est ainsi que Billy Stuart, ses amis et même le chien se retrouvent prisonniers d'un ailleurs qu'ils vont explorer au fil de leurs aventures...

CHAPITRE 1

Au pays des dinosaures?

Assis sur une grosse **PIERRE**, à la sortie de la grotte de Roth, je me remémore les instructions que mon grand-père Virgile avait inscrites dans son carnet :

« Rends-toi au cœur des dédales de la ville, tu y trouveras la suite de ton chemin. »

Nous devons quitter les lieux, ce qui pourrait nous aider à comprendre OÙ nous sommes… et QUAND nous sommes… Après un bref conciliabule avec les membres de ma meute, les Zintrépides, nous optons pour la direction nord. À en juger par la position du soleil dans le ciel, il doit être environ 14 heures.

Je mène la marche. Foxy est sur mes talons. Elle tient le chien FrouFrou en laisse. Suivent dans l'ordre Muskie et Galopin ; Yéti, la belette, surveille nos arrières.

Tandis que nous avançons dans une forêt inconnue et dense, sur un sentier naturel, nous nous interrogeons à haute voix.

Le sentier descend maintenant en pente douce; la forêt s'éclaircit.

— On est peut-être dans l'ANTIQUITÉ? ou au MOYEN ÂGE? ou… dans le FUTUR? note Foxy.

Je perçois un bruit familier à l'approche d'un tournant: une rivière!

Nous traversons une lisière d'herbes hautes pour y accéder. Le cours d'eau est aussi large qu'une rue. Mes amis s'y jettent déjà. Je me penche pour sentir l'eau. Pas d'odeur suspecte. J'y goûte du bout de la langue. Aucun goût amer.

— Elle est bonne! tranche Galopin, mâchant une libellule attrapée en plein vol.

Nous avalons goulûment cette eau belle et pure. Nous en remplissons nos gourdes.

Qui dit rivière et eau douce, dit aussi… écrevisses! Miam! Miam! Je n'ai pas que soif. Je suis affamé. Et ce ne sont pas les barres « granolas » dans mon sac qui vont apaiser ma faim.

À quelques mètres du rivage, l'eau atteint mes genoux. Je vois le fond de la rivière. Je n'ai qu'à déplacer quelques pierres pour capturer mon mets préféré. **Fébrile**, je fouille et je fouille. **J'en ai une!** J'EN AI DEUX!

— Ça parle aux millions d'écrevisses de la rivière Bulstrode!

Une rivière à écrevisses. C'est le paradis sur terre! S'agirait-il d'une partie de la Bulstrode que je ne connais pas?

— Miam! Un vrai déliche! Ch'est tellement bon!

J'aperçois un tronc d'arbre qui dérive vers moi… C'est curieux, normalement le tronc devrait suivre le courant. Il le fend plutôt en diagonale.

Bof! Après tout, il fera ce qu'il voudra, ce tronc. Moi, ma tête est dans mon estomac.

Je vois une écrevisse qui tente de se sauver. *HOP!* Je la cueille comme une pomme à l'automne. Elle est gigantesque. C'est la reine! J'en salive déjà.

Le tronc d'arbre… Il s'est approché. Un cri, celui de Foxy, éclate sur la rive.

— **ATTENTION, BILLY STUART!** C'est un crocodile!

FrouFrou jappe et gronde. Muskie attrape Yéti par le collet pour l'empêcher de se jeter à l'eau.

— Qu'il y vienne! Non, mais qu'il y vienne!

Terrorisé, je fuis la mâchoire béante du CROCODILE.
Je perds la reine des écrevisses. Mon butin! Une occasion
semblable ne se représentera jamais. Pas brillant comme
réflexion, n'est-ce pas? Je vous l'ai dit: ma tête est dans
mon estomac. Je me fais de la bile à propos d'une écrevisse
perdue alors que je devrais m'éloigner de ce REPTILE
CARNIVORE.

Tant pis pour l'écrevisse! Je m'écarte à la dernière
seconde de la charge de l'animal. Je crie:

— Troupe! Vite! Lancez-lui le chien! Ça va le distraire!

— **Franchement, Billy Stuart!** s'offusque Foxy
qui sait mieux que tout le monde à quel point je n'aime
pas FrouFrou.

Il y a plus de morts d'hommes attribués à l'hippopotame qu'au crocodile. Il n'existe, toutefois, aucune donnée concernant les agressions de crocodiles sur les ratons laveurs.

Avec agilité – tout de même, je suis plus agile qu'un **TRONC D'ARBRE**, fût-il actionné par une queue! – je bondis sur le dos du crocodile, je me propulse hors de l'eau et je me retrouve en sécurité sur la berge.

— Tout ça pour une malheureuse écrevisse, me **FUSTIGE** Foxy.

— Mon péché mignon, je le confesse, dis-je, haletant.

FrouFrou se remet **à Japper** et **à Grogner**. Le crocodile est maintenant sur la terre ferme et il vient rapidement dans notre direction. Il semble bien décidé à ne pas perdre un si appétissant repas.

Un crocodile adulte peut rester jusqu'à deux ans sans se nourrir. Manifestement, celui-ci a faim...

— *FUYONS !* s'écrie Muskie.

Nous prenons nos jambes à notre cou et nous *déguerpissons* de l'endroit.

À peine avons-nous distancé notre assaillant et sommes-nous sortis de la lisière de hautes herbes que nous tombons face à face avec des **SOLDATS ARMÉS**.

SENS DESSUS DESSOUS

Parfois, nos amis les Zintrépides peuvent passer de la **faim** à la **soif** en quelques mots...

Ce métagramme (méta = transformation et gramma = lettre) consiste à trouver une série de mots qui ne diffèrent que par une seule lettre. Par exemple, de DEUX tu peux te rendre à NEUF ainsi: DEUX-VEUX-VEUF-NEUF.

Pour résoudre ce jeu, il te suffit de trouver les **trois** mots manquants entre FAIM et SOIF.

Voici les points à observer:

1. Tu ne peux changer qu'une seule lettre par mot.

2. Les lettres doivent rester dans le même ordre.

3. Tes mots peuvent être au singulier ou au pluriel.

4. Ne tiens pas compte des accents.

Écris tes essais sur une feuille à part. Tu y verras plus clair!

Solution à la page 156

CHAPITRE 2

L'Antiquité

La présence des soldats me confirme une chose : nous ne sommes pas à l'ère des dinosaures !

> Ce n'est que dans le domaine de la fiction que les dinosaures et l'homme se sont côtoyés. Plusieurs millions d'années séparent la disparition des uns et l'apparition de l'autre.

— **Aïe !** se lamente Galopin qui a touché la pointe de la lance. C'est du réel, ça !

Ils sont une douzaine à nous encercler.

— Qu'ils y viennent ! Non, mais qu'ils y viennent ! les invite Yéti, la belette.

— Arrose-les, Muskie ! Arrose-les ! supplie Foxy qui doit aussi ▓▓▓▓▓ les élans du chien FrouFrou.

Le caniche, la **queue branlante**, s'agite sur ses pattes arrière. Il désire faire la connaissance des étrangers.

Muskie, qu'on accuse chaque fois qu'on détecte une odeur suspecte, s'insurge :

— Ah ? Je ne dois plus me retenir, désormais ? réplique-t-elle, rancunière et le museau en l'air. Il faudrait savoir ce que vous voulez… Et puis, je souffre *d'incontinence*, n'est-ce pas, mademoiselle Foxy ?

À voir les uniformes et les casques, les sandales nouées des **SOLDATS**, je présumerais que nous sommes dans l'Antiquité … Ou sur le plateau de tournage d'un **FILM** sur l'Antiquité. Si c'est le cas, on devrait décerner un Oscar à la personne qui confectionne les costumes tant ils sont réalistes.

Cependant, je suis persuadé que personne ne criera : «Coupez !» Heureusement, puisque je ne veux pas être haché menu, moi ! Parce qu'avec toutes ces lances…

Nous sommes prisonniers d'une patrouille de guerriers nés il y a des millénaires et des poussières… On pourrait être à l'époque de Jules César… Oh! Avec un peu de chance, on rencontrerait l'empereur, Cléopâtre ou, mieux, **ASTÉRIX ET OBÉLIX!**

SUIVEZ-NOUS!

OÙ NOUS EMMENEZ-VOUS?

AU PORT! AVANCE, RATON LAVEUR À JUPE!

CE N'EST PAS UNE JUPE, C'EST UN KILT!

COMMANDANT TROUDOS!

IL Y A UN CROCODILE SUR LE BORD D'UNE RIVIÈRE PAS TROP LOIN...

MASSACREZ-MOI ÇA! ON EN FERA DES CHAUSSURES POUR LE GOUVERNEUR ET UN SAC À MAIN POUR SA DAME!

ÇA LES METTRA DE BONNE HUMEUR...

Le soldat quitte les lieux avec empressement. Dix minutes plus tard, il se représente à son commandant, l'air plutôt amoché.

— Euh… Le crocodile n'a pas voulu collaborer, mon capitaine… Il refuse d'être transformé en sandales!

— **Imbécile !** crache son supérieur. Continuons!

Notre groupe est encadré par les soldats au pas alerte. Il ne faut pas traîner sinon les retardataires se font piquer les fesses pour les encourager à avancer.

Nous émergeons de la forêt. Une grande charrette, tirée par deux robustes chevaux, est garée près d'une route de terre. Sans y être invité, FrouFrou saute à bord et s'installe CONFORTABLEMENT sur une couverture qui recouvre de lourdes caisses.

Le convoi se met en branle. Nous marchons ainsi pendant une heure. Parfois, le caniche lève la tête, nous **APERÇOIT**, **JAPPE** et **oscille** de la queue. Ou alors, il pose ses pattes avant sur le rebord de la charrette, la langue pendante, et se laisse caresser la tête par le vent.

IL A QUATRE PATTES, CE SALE CABOT POMPONNÉ, IL POURRAIT ALLER À PIED LUI AUSSI! J'AI L'IMPRESSION DE ME FAIRE ROULER...

ARRÊTE DE PLEURER! IL EST PETIT-PETIT, MON PETIT FROUFROU CHÉRI D'AMOUR!

RETIENS-MOI, BILLY STUART, OU JE LES TERRASSE TOUS. QU'ILS Y VIENNENT! NON, MAIS QU'ILS Y VIENNENT!

?

!?!

?

OUI, C'EST ÇA

RETIENS-MOI, SINON...

COMMANDANT, IL ME DÉVISAGE DE SON OEIL!

PAREIL POUR MOI, MON COMMANDANT! IL Y A QUELQUE CHOSE DE LOUCHE DANS SON REGARD...

Le chef Troudos soupire en maudissant ses dieux. Qu'a-t-il bien pu leur faire pour hériter d'un groupe d'une telle nullité ?

Pour ma part, j'essaie de lier connaissance avec mon voisin, celui qui a affronté le CROCODILE.

— Dites-moi donc, cher monsieur, en quelle année sommes-nous ?

Il me regarde comme si j'avais commis une bêtise.

— En quelle année ? Que veux-tu dire ?

— Sommes-nous en 500 ans avant Jésus-Christ ? En 200 ans après Jésus-Christ ?

Le soldat maintient son rythme de marche sans faillir.

— C'est quoi, ça, un « Jésus-Christ »…

Notre discussion prend une tournure que je n'avais pas prévue. Je lui explique :

— C'est quelqu'un qui a marqué l'histoire du monde. On a remis le cadran des années à zéro lorsqu'il est né. Il y a eu un avant lui et un après lui…

— Jamais entendu parler… **NE TRAÎNEZ PAS!** Je vais être puni par le commandant.

— Et pourquoi se dirige-t-on vers le port?

Le soldat esquisse un **SOURIRE MÉCHANT** :

— Pour la livraison à l'île de Crète.

ANAGRAMME

En mélangeant les lettres d'un mot, tu peux en obtenir un nouveau.
Par exemple : cœur = écrou, soldat = dalots

Peux-tu faire un autre prénom avec **Minos** ?

Avec **monstre**, les Zintrépides auront ce qu'il faut pour arriver à l'heure au rendez-vous de Virgile. (Mot au pluriel)

Grâce à **chien**, Billy Stuart sait où il aimerait envoyer FrouFrou !

À bord du **navire**, les Zintrépides le voient plutôt noir.

Sur la route qui mène au **port**, c'est la quantité de scorpions que libère Ugobos.

Solution à la page 156

La croisière ne s'amuse pas

Après avoir échappé de justesse aux **mâchoires meurtrières** d'un crocodile, nous sommes tombés aux mains d'une patrouille de soldats. Ils nous conduisent à un port situé près d'une ville.

Malheureusement, il ne s'agit pas de la ville dont fait état mon grand-père dans le message que j'ai lu dans son carnet : « au cœur des dédales de la ville… »

En fait, il n'y a pas de ville, à peine quelques cabanes de pêcheurs. À bien y penser, autant affirmer qu'il n'y a pas de port à proprement parler… On dirait une installation de fortune pour marins en vacances. Une escale de troisième classe. La passerelle qui nous mène à bord d'un voilier est **INSTABLE** et fragile. Nous ne pouvons y circuler à plus de deux à la fois.

Loslobos, le capitaine du navire, nous accueille avec **FROIDEUR**.

— C'est quoi, ça? demande-t-il au chef de la patrouille, Troudos, qui nous a devancés.

— Un cadeau pour Minos à l'issue de ton **VOYAGE** en Crète. Il devrait l'apprécier… Surtout le chien!

Le capitaine nous examine des pieds à la tête.

— Un raton laveur avec une jupe ?

Je corrige :

— C'est un kilt, monsieur.

— Mmmmmouais, dit-il, passant et repassant sa main sur sa barbe courte et drue, comme si cela l'aidait à réfléchir.

Le commandant Troudos lui remet un sac de pièces d'or.

— Un petit quelque chose pour le dérangement, capitaine…

Satisfait, Troudos débarque pour rejoindre ses hommes à terre.

De grandes **voiles noires** sont déployées dès que les amarres sont larguées. Mais le vent nous abandonne au bout d'une heure. Il faut ramer. On nous assigne des places dans la partie basse du vaisseau aux côtés d'une quinzaine de jeunes gens, à peine sortis de l'adolescence et tous vêtus d'une *longue robe rouge*.

Je partage le banc et la rame d'un galérien, qui me salue d'un bref signe de tête. Je dois me mettre aussitôt à l'ouvrage, le *fouet* qui a claqué près de moi m'y oblige.

— Au travail, bande de fainéants! beugle le gardien, Ugobos, un type bedonnant et ruisselant de sueur, court sur pattes et excité à l'idée de nous faire goûter de son instrument.

Derrière moi, Galopin chantonne:

Rame, rame, rame donc... le tour du monde, le tour du monde...

Son chant est repris par Yéti, qui ne touche pas à son banc, accroché qu'il est à sa rame. On l'a jumelé à un costaud.

Muskie et moi joignons nos **VOIX** et ensuite l'équipage en entier. Curieusement, le chant nous procure des forces et le rythme des coups de rame augmente sensiblement. Le gardien, Ugobos, s'apprête à nous donner du *fouet* pour imposer le silence lorsque le capitaine bloque son action.

— C'est inutile, le **NAVIRE** va plus vite… Laisse ces malheureux tranquilles.

À contrecœur, Ugobos enroule la lanière de son fouet.

— Vous êtes trop bon avec les prisonniers, capitaine, le blâme le gardien.

Loslobos **GLACE** du regard son subordonné.

— On ne discute pas mes ordres !

Pendant que l'homme regagne ses quartiers, j'établis un contact avec mon voisin :

— On n'a pas de fers aux pieds ?

— Ce serait superflu. Le capitaine les interdit à bord, vous imaginez les conséquences en cas de naufrage? Et puis personne ne pourrait se sauver du bateau. La mer est immense et elle est infestée de REQUINS et d'autres créatures étranges.

Il s'appelle Zeppelinos. Il est Athénien. Il me raconte qu'il fait partie d'un groupe de jeunes qui ont été choisis et envoyés en Crète pour y être SACRIFIÉS…

— Un sacrifice! dis-je, effrayé. Ça parle aux MILLIONS d'écrevisses de la rivière Bulstrode!

Je ne sais trop pourquoi, mais il y a un truc dans cette AVENTURE qui me rappelle quelque chose. Je devrais en glisser un mot à Foxy. Elle a des connaissances en histoire. Je pourrais en apprendre davantage sur l'époque…

Les petites bêtes

Comme il fallait s'y attendre, les coups de rames reprennent leur rythme normal, une fois le chant terminé. Et comme il fallait s'y attendre, le gardien Ugobos a inventé un autre moyen pour nous motiver à accentuer la cadence : les petites bêtes !

Des cris d'hommes et de femmes s'élèvent tandis qu'il libère… DES SCORPIONS !

— Suffit ! Et que j'en voie un cesser de ramer ! menace-t-il, en brandissant son fouet. Le capitaine dort à l'heure qu'il est. S'il entend une seule lamentation, ça risque de le réveiller et **d'assombrir** ma bonne humeur…

— Essaie de ne pas trop bouger, me recommande Zeppelinos.

Je relaie le mot à mes amis. Il n'y a que le pauvre Yéti qui est incapable de s'immobiliser et de poser son **POPOTIN** sur son banc. Peu lui importe, accrochée à la rame, la belette cherche du regard les petites bêtes.

— Qu'elles y viennent! Non, mais qu'elles y viennent!

On sent la **NERVOSITÉ** chez les rameurs, soudainement muets. Chaque seconde, j'appréhende un gémissement de douleur parmi les nôtres.

Un **SCORPION**, ça ressemble à une écrevisse, n'est-ce pas? Pourquoi devrais-je en avoir peur? Parce qu'il y en a sur le banc, près de moi!

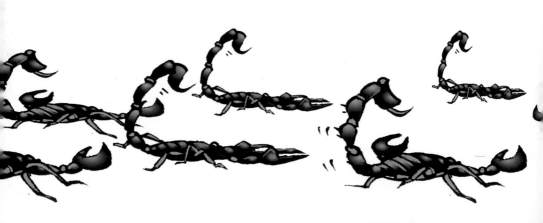

— Pousse-toi doucement vers moi, me **SOUFFLE** Zeppelinos.

Le scorpion, les pinces ouvertes, la queue dardée prête à faire feu, n'espère qu'un mouvement brusque de ma part pour justifier son attaque.

Lentement, très lentement, je m'éloigne de la petite bête, tout en continuant de ramer. Zeppelinos se blottit contre la paroi pour me procurer de l'espace supplémentaire.

Le scorpion n'a que faire de mes précautions. Il s'avance vers moi. Je sais que le gardien Ugobos observe la scène de près. Il en *ricane* de plaisir. Si je suis piqué, la douleur

mc fera crier – je suis un raton sensible – et me forcera à cesser de ramer. Le coup de fouet suivra. Je crains de passer un sale quart d'heure.

J'ai peur...

Je cligne des yeux pour en chasser des larmes naissantes…

Qu… Quoi?

Où est le scorpion? Disparu? Qu'est-il arrivé?

Un bruit **ÉCŒURANT** de corps broyé m'écorche les oreilles. J'aperçois Galopin, qui finit de mâcher la petite bête…

J'allais écrire : mordre à pleines dents, une expression inappropriée puisque les caméléons n'ont pas de dents. Ce qui n'empêche pas certains de bouffer des scorpions, à la manière des suricates. Retenez, cher public lecteur, que Galopin n'est pas un caméléon comme les autres.

La queue du scorpion pend de la bouche de mon ami. Il la saisit et la jette sous le banc.

J'ignorais que Galopin était si en appétit. En moins de quinze minutes, il a attrapé et avalé une dizaine de scorpions qui hantaient cette partie du navire.

La révélation

Le capitaine Loslobos transmet ses ordres pour l'exécution de la manœuvre d'accostage au port de Cnossos. Dans quelques MINUTES, nous toucherons terre. Un voile de tristesse passe devant ses yeux lorsqu'il regarde ceux et celles qu'il doit livrer à bon port. Son état d'esprit est évident. J'en *glisse* un mot à Zeppelinos.

— Il doit penser à sa sœur, Timorée…

Il y a quelques mois, un groupe d'Athéniens a été conduit à l'île. La sœur de Loslobos en faisait partie. Le capitaine ne l'a plus jamais revue. Des récits étranges circulent dans le pays à propos d'un **monstre**, de sacrifices humains…

Où est Foxy quand j'ai besoin d'elle? Là! Elle est occupée à caresser FrouFrou. Quel **gaspillage** de temps et d'énergie!

Je rejoins Foxy et lui résume la situation. Dès qu'il m'aperçoit, le chien **bondit** autour de moi sur ses deux pattes arrière, en jappant. Je m'empare d'un cœur de pomme qui traîne sur un tonneau et je le lance au loin pour avoir la paix.

PLOUF !

— Va chercher!

Foxy me dévisage. Je balaie l'air de ma main comme pour chasser une vulgaire mouche.

— Il pourra toujours faire la nage du petit chien pour regagner la rive.

Je prends le ton de la CONFIDENCE et je lui raconte mon entretien avec Zeppelinos.

Et, la laisse de FrouFrou... Où est-elle passée?

(Réponse de Sampar)
Euh... bien... Ah! laisse tomber! Elle est disparue dans la mer, bon!

Rendons à César ce qui est à César et à Foxy ce qui revient à Foxy. À l'école, dans ma classe, elle a reçu le titre de l'élève sur qui on devrait copier.

La renarde fouille dans sa mémoire. Ce qui est très particulier dans les circonstances, puisqu'elle doit se souvenir d'un récit qu'elle lira dans des **millénaires** et qui se déroule aujourd'hui.

Une lueur dans son regard m'indique qu'elle est sur la bonne piste.

— La Crète… des jeunes… le monstre… C'est…

Ses yeux s'écarquillent **D'HORREUR** comme la fois où elle m'avait vu sans kilt… Je ne suis pas certain de vouloir entendre la réponse.

— Le **monstre**, balbutie-t-elle, c'est le…

Une clameur s'élève du quai où le bateau s'est immobilisé. Une foule s'est déplacée pour accueillir les victimes.

— Le quoi? dis-je à Foxy en criant pour couvrir le bruit.

Une passerelle est amenée pour nous permettre de descendre à terre. Des **SOLDATS** solidement armés font le pied de grue sur le quai. Ils doivent nous escorter.

Le silence se rétablit avec l'arrivée du roi, Minos.

LES RÉBUS

Peux-tu deviner de quoi il s'agit?

Solution à la page 156

Le roi Minos

Le cri de Foxy p a r a l y s e la foule et **TERRORISE** les futurs sacrifiés, moi inclus.

— Ça parle aux millions d'écrevisses de la rivière Bulstrode !

LE MINOTAURE ! Cet être mi-humain, mi-taureau, emprisonné dans le Labyrinthe et auquel étaient livrés des dizaines de jeunes Athéniens pour apaiser sa faim et sa colère.

Je pensais qu'il n'existait que dans les **LIVRES D'HISTOIRE**, celui-là. J'en frémis juste à y songer.

L'instant de stupeur passé, Yéti se met à boxer un invisible ennemi.

— Qu'il y vienne, le Minitaure ! Non, mais qu'il y vienne !

Personne n'a jugé bon de corriger la belette sur le coup. Il s'agit bien sûr du Minotaure et non du Minitaure. Peut-être croyait-il à ce moment que le Minitaure était le rejeton du Minotaure et qu'il se mesurerait enfin à un adversaire à sa taille?

Nous sommes conduits au roi Minos. Il est installé sur une plateforme ambulante au pied de laquelle on nous force à nous **prosterner**. Le roi nous considère avec curiosité et désigne les membres de la meute des Zintrépides.

— C'est quoi ça?

Je devance la prochaine question:

— C'est un **kilt**, monsieur. Pas une **jupe**.

Le roi se moque de ma réponse.

— Non, je voulais dire: vous êtes l'entrée ou le dessert?

Il éclate de rire. Un de ses conseillers lui explique que nous avons été capturés par une **PATROUILLE** à l'extérieur d'Athènes.

CES ÉTRANGERS SONT UN CADEAU DU COMMANDANT TROUDOS!

DES ÉTRANGERS! LES RÈGLES DE LA BIENSÉANCE NOUS DICTENT DE VOUS FAIRE PROFITER LES PREMIERS DE NOTRE HOSPITALITÉ.

POURQUOI LE MINOTAURE DÉVORE-T-IL DES ATHÉNIENS?

POURQUOI N'Y A-T-IL PAS DES HABITANTS DE L'ÎLE DE CRÈTE DANS SON ASSIETTE?

PROBABLEMENT PARCE QUE LE MONSTRE NE SE DÉLECTE PAS DES CRÉTONS! LE MINOTAURE DOIT AIMER LA CUISINE EXOTIQUE!

NOUS SOMMES DES CRÉTOIS, PAS DES CRÉTONS, CRÉTIN!

CLAC!

DESTINATION: LA VILLE.

FOXY, DE QUELLE FAÇON FINIT L'HISTOIRE AVEC LE MINOTAURE?

JE ME SOUVIENS, BILLY STUART, DE THÉSÉE QUI S'EST PORTÉ VOLONTAIRE POUR ALLER VAINCRE LE MONSTRE.

THÉSÉE? C'EST PEUT-ÊTRE ELLE NOTRE PLANCHE DE SALUT...

C'EST UN IL, PAS UNE ELLE! THÉSÉE EST UN GARS MÊME SI SON PRÉNOM SE TERMINE PAR UN "E".

THÉSÉE EST-IL PARMI VOUS?

NON...

NON...

QUELLE EST CETTE AFFAIRE DE THÉSÉE? TAISEZ-VOUS!

Je chuchote à Foxy.

— Et Thésée, il tue le Minotaure ?

La renarde baisse les yeux et émet un rire gêné :

— Je ne le sais pas... Je n'ai pas poursuivi ma lecture, j'avais trop peur...

Alors que nous marchons depuis trente minutes, FrouFrou nous rejoint. Il est *increvable*. Excité, il bondit partout sur ses deux pattes arrière, inconscient du destin qui nous attend. Il saute et se blottit dans les bras de Foxy.

Zeppelinos se faufile jusqu'à moi.

— Lorsque vous serez à l'intérieur du Labyrinthe, vous devez rester groupés, me conseille-t-il. On m'a confié que l'on pouvait facilement se perdre dans ses nombreux dédales ; c'est une véritable ville.

Dès que Zeppelinos prononce les mots *dédales* et *ville*, je revois mentalement le message de mon grand-père Virgile : « Rends-toi au cœur des dédales de la ville, tu trouveras la suite de ton chemin... »

Oui !

Pour nous sortir d'ici, il nous faut repérer *l'indice* au centre du Labyrinthe et éviter le Minotaure… C'est notre **seule issue**.

Le Labyrinthe

À l'approche du Labyrinthe, situé près du palais du roi Minos, la foule se met à crier d'une seule voix :

Miam! Miam! Miam! Miam!

J'en conclus que cette manifestation bruyante n'a qu'un but : prévenir le Minotaure que le repas arrive. Il doit déjà s'en lécher les babines.

De cet entretien avec Billy Stuart, je n'ai retrouvé aucune mention à savoir que le monstre avait des babines, comme certains animaux. On peut le supposer. Je le laisse toutefois dans le texte pour la sonorité du mot.

Une **colline** surplombe le Labyrinthe, dont la structure est à ciel ouvert, et nous procure une vue imprenable sur les dédales. C'est hallucinant. On dirait une cité de pierre sans toit.

À l'œil, c'est au moins dix fois plus grand que notre cour de récréation à l'école. Comment fera-t-on pour s'y retrouver ? On va jouer au chat et à la souris avec le Minotaure là-dedans… Ce monstre doit connaître par cœur les coins et recoins des lieux.

— Avec un peu de chance, il pourrait hiberner, espère Muskie. C'est peut-être l'hiver, ici…

Un cri **HORRIBLE** jaillit du Labyrinthe et jette la consternation et l'effroi dans notre groupe.

GRAOOOOOOOOOOOARRRRR!

Troublé, je réplique :

— Le printemps est arrivé, la bête se réveille.

Nous descendons la colline pour nous arrêter finalement devant ce piège que l'on prétend MORTEL. La foule a envahi cet amphithéâtre naturel afin d'assister à ce lugubre spectacle en plein air.

Une simple ouverture dans la pierre donne accès au Labyrinthe, dont le couloir à l'entrée est presque aussitôt plongé dans L'OBSCURITÉ.

Le roi Minos, aux premières loges, claque des doigts. Une silhouette émerge du Labyrinthe! Nous retenons

notre souffle… Le **MINOTAURE** ? Non, un homme. Pauvrement vêtu, il nous accueille avec bienveillance et compassion. Le gardien des lieux se présente à nous.

— Je suis Ronos.

Il nous tend des **TORCHES** qu'il allume pour nous aider à voir notre chemin à l'intérieur.

— La manière dont les murs ont été configurés empêche la lumière du jour d'y pénétrer convenablement, explique-t-il.

Le roi Minos émet un rire méprisant.

— Mon pauvre Ronos… Qu'importe ce qu'il vous racontera, jamais personne n'est sorti du Labyrinthe. Pas vrai, la foule ?

— *PERSONNE !* répond-elle.

— D'ailleurs, ajoute Minos, nous avons une devise que je qualifie de géniale : « Quand on y entre, on n'en sort jamais ! » Vous n'en reviendrez pas ! Ha ! Ha ! Ha !

Malheureux, Ronos secoue la tête.

CE PAUVRE RONOS... IL AIMERAIT BIEN QUE ÇA SE PRODUISE UN JOUR, N'EST-CE PAS ? JE LUI AI PROMIS LA MAIN DE MA FILLE ET MA FORTUNE SI CE MIRACLE DEVAIT S'ACCOMPLIR...

VOUS ÊTES TÉMOIN, LA FOULE ?

OUIIIII!

ASSEZ PARLÉ ! GARDES, MENEZ NOS PREMIERS INVITÉS AU BANQUET...

...DU MINOTAURE !

TOI! JE VEUX LE CHIEN!

IL EST DE LA MÊME COULEUR QUE LES MURS DE LA CHAMBRE DE MA FILLE.

EH! MOI AUSSI, JE PEUX ÊTRE DE LA MÊME COULEUR QUE LES MURS DE LA CHAMBRE DE VOTRE FILLE!

L'ÉNIGME DE LA TRAVERSÉE

Les Zintrépides sont en détresse. Coincés sur la rive sud de la rivière Bulstrode, ils doivent absolument se rendre sur la rive nord, mais la chaloupe dont ils disposent ne peut soutenir que 12 kg. De plus, en cette période de l'année, le cours d'eau est infesté de piranhas carnivores (il y en a aussi, des herbivores, en d'autres temps).

— Moi, j'ai une idée, annonce Billy Stuart. Il suffit de lancer le chien à l'eau! Cela créera une diversion et nous en profiterons pour traverser à la nage!

— Franchement, Billy Stuart, le réprimande Foxy, la renarde.

Comment nos amis réussiront-ils à atteindre l'autre rive?

Indices:

BILLY STUART	FOXY	MUSKIE	GALOPIN	YÉTI
PÈSE 10 KG	PÈSE 8 KG	PÈSE 6 KG	PÈSE 5 KG	PÈSE 1 KG

Muskie et Galopin sont les premiers à traverser à bord de la chaloupe.

Le reste, c'est à toi de le découvrir...

Oui, mais FrouFrou, le caniche? Vous vous en souciez sûrement, non?

— Il n'aura qu'à nager! soumet Billy Stuart.

Ne vous inquiétez plus! Vous savez bien que Foxy se précipitera au secours de son beau «FrouFrou d'amour, que je t'aime, que je t'adore...»

— Dommage pour les piranhas, boude Billy Stuart. Ils ont sûrement faim...

Solution à la page 156

CHAPITRE 8

Une boussole

Nous nous enfonçons dans les **ENTRAILLES** du Labyrinthe. Je marche devant, une torche à la main. Foxy, préoccupée par la disparition de FrouFrou, brandit la sienne au-dessus de sa tête. Nous encadrons Galopin, Yéti et Muskie. Les couloirs sont **hauts** et assez ⊏⊓⊑⊑⊑⊐ pour que nous soyons côte à côte.

Derrière, loin derrière, je perçois des aboiements. Adieu veau, vache, cochon, couvée et FrouFrou !

Mine de rien, Billy Stuart vient de citer un extrait de la fable *La laitière et le pot au lait*, de Jean de La Fontaine.

Si un jour, nous émergeons de ce cauchemar, ça va me paraître bizarre d'aller voir ses maîtres, les MacTerring, pour leur avouer que leur chien a été adopté par la fille d'un roi, en Crète, il y a plus de **3 000 ans**...

Curieusement, les jappements se rapprochent...

— FrouFrou! appelle Foxy.

Je rectifie: ça va me paraître bizarre d'aller voir nos voisins, les MacTerring, et de leur raconter que leur chien a été bouffé par un Minotaure... Est-ce qu'il cuit sa nourriture avant de l'avaler? Mangera-t-il un **Chien Froid** ou un **Chien Chaud**?

Excité par les retrouvailles avec Foxy, FrouFrou, qui a déjoué le garde, vraisemblablement, laisse échapper un **pipi** au sol. Il le renifle et jappe de contentement.

— FrouFrou marque son territoire, remarque Foxy, multipliant les *caresses* à l'endroit du caniche.

J'ironise :

— Je suis certain que le Minotaure doit être terrifié !

— N'ayez crainte, prévient Galopin en roulant des yeux. Je surveille nos *arrières* et nos *avants*… en même temps !

— Ouais, ajoute Yéti. Le Minotaure, j'en dévore un à chaque petit-déjeuner. Qu'il y vienne ! Non, mais qu'il y vienne !

Le couloir oblique vers la DROITE. Quatre nouvelles entrées s'offrent à nous. Laquelle choisir?

L'ÉCHOOO lointain d'un hurlement nous glace le sang.

— Ça vient de là, croit Muskie, désignant l'entrée à gauche.

— Non, de celle-ci, reprend Foxy devant l'entrée voisine.

— Vous êtes dans L'ERREUR. Le cri provient de la troisième entrée, prétend Galopin. Fiez-vous à mes sens.

De mon côté, posté devant l'entrée de droite, j'étais convaincu que le cri émanait de quelque part par là-bas…

— On pourrait opter chacun pour une entrée, propose Yéti. Nos chances sont meilleures de découvrir la $\boxed{\text{SORTIE}}$. À moins que vous n'ayez peur d'être seuls?

Des protestations s'élèvent.

— Pas question, Yéti! On risque de se perdre. Il faut rester ensemble.

Dans les films **d'épouvante**, on voit souvent les personnages se faire attaquer l'un après l'autre parce qu'ils sont isolés. Je ne veux pas que cela nous arrive.

— On emprunte quelle entrée, alors? s'enquiert Muskie.

— Je crois qu'elles mènent toutes au Minotaure. Essayons de nous rendre au cœur des dédales pour trouver l'indice avant que le monstre nous trouve, lui…

— ATTENDEZ! prévient Foxy.

Elle fouille dans son sac et en retire… une **BOUSSOLE** ! Avec cet instrument, on augmente les chances de ne pas s'égarer. À la lueur de la torche, Foxy la consulte pour déterminer le nord magnétique. Elle déchante rapidement.

— Elle est… déboussolée ! **L'AIGUILLE** tourne plus vite que celle des secondes, déplore-t-elle.

— C'est probablement à cause de la personnalité magnétique de l'hôte des lieux, signale Galopin.

Le chien se met à sentir fébrilement le sol des quatre entrées. Il hésite, farfouille, revient, hume l'air, recherche…

Soudain, Foxy annonce :

— Mais la voilà, notre boussole !

Je raille :

— Ça y est ! Foxy a perdu le **NORD**.

— Que veux-tu dire ? lui demande Galopin.

Elle désigne le chien.

— Vous ne lisez pas vos classiques ? Dans *ASTÉRIX ET CLÉOPÂTRE*, c'est le chien Idéfix qui montre le chemin de la sortie à Astérix, Obélix et Panoramix, dans la pyramide.

Foxy fait référence à la série *Astérix*, mondialement connue, créée en 1959, scénarisée par René Goscinny et illustrée par Albert Uderzo. Elle compte plus d'une trentaine de titres. *Astérix et Cléopâtre* est la sixième aventure du célèbre Gaulois. Elle a fait l'objet d'un dessin animé et d'un film d'Alain Chabat, très drôle, incidemment. Et puis, René Goscinny est mon auteur préféré.

Je rétorque :

— On n'a pas de potion magique, nous.

— Voyons, Billy Stuart, on a FrouFrou ! Le caniche sera notre boussole à quatre pattes. Son odorat nous aidera à regagner la sortie. Il n'a qu'à faire pipi pour laisser des indices de notre passage…

En entendant son nom, FrouFrou bondit autour de moi sur ses pattes arrière. Je lui caresse la tête.

— Allez ! Mon b… (je ne parviens pas à dire beau, j'ai failli m'étrangler)… toutou. Fais pipi !

FrouFrou continue de sautiller, excité de cette attention que je lui accorde.

— Le chien ! Fais un beau pipi. Tu en es capable, mon b… (c'est si difficile)… chien : pisssssssssssssssssssssssssssss…

Je fais semblant de lever la patte pour l'inciter à m'imiter.

— Tu es grotesque, Billy Stuart ! se moque Muskie.

— Pas un mot, toi, l'incontinente ! C'est vrai que quand il est question de pipi, tu veux t'en mouiller… euh… tu veux t'en mêler…

Je sens l'impatience poindre…

— Imagine, le chien, que tu es dans notre maison… Et qu'il y ait de la visite… Tu sais bien, la mare que tu laisses sur le plancher…

Autant parler à une **GARGOUILLE DE PIERRE**!

— Stupide cabot! (Ça, je n'éprouve aucune difficulté à le dire!) Tu pourrais te rendre utile pour une fois! Il te faudrait une BORNE D'INCENDIE B ?

Il aboie et tournoie comme une TOUPIE, courant après sa courte queue.

— Non ! Pas de gâteries ! Juste un pipi !

Foxy s'interpose. Elle caresse la tête de cet imbécile de chien.

— Mon beau FrouFrou, fais pipi, s'il te plaît…

Sur-le-champ, il flaire le SOL des quatre entrées et s'arrête en face de la deuxième à partir de la gauche. Il lève la patte et tous l'applaudissent. Moi, je bougonne…

— Il te manquait le MOT MAGIQUE, rigole Foxy. Bon chien, FrouFrou. Bon chien !

Des moments d'égarement

FrouFrou est devenu notre boussole à quatre pattes et notre **GPS** dans le Labyrinthe. Pourquoi le suivons-nous aveuglément? Pourquoi pas? Qu'est-ce que l'on a à perdre de toute façon? Quelle piste poursuit-il? Celle du Minotaure? Celle de ses victimes? Celle… de mon grand-père Virgile? Aucune de ces réponses?

Un bon point pour lui, ce qui me conforte dans l'idée qu'il sait où il s'en va: pas une fois ne nous a-t-il guidés dans un CUL-DE-SAC ou a-t-il rebroussé chemin. Nous progressons depuis bientôt une heure. Ici et là, les **RUGISSEMENTS** du Minotaure nous atteignent. Il est impossible de les situer. La bête est-elle proche ou pas? Nous craignons de la voir **SURGIR** à chaque détour ou apparaître sournoisement derrière nous.

Nous demeurons aux aguets et le chien aux abois.

— Qu'est-ce qu'on fait si on tombe sur le Minotaure? souligne Muskie.

Nous nous immobilisons.

Ça parle aux **MILLIONS** d'écrevisses de la rivière Bulstrode! C'est vrai! Qu'est-ce qu'on fait? Je cherche une réponse dans les yeux de mes amis.

— Je m'en occupe, Billy Stuart! fanfaronne Yéti. Qu'il y vienne! Non, mais qu'il y vienne!

Les Zintrépides demeurent silencieux. Ils seraient suspendus à mes lèvres si j'en avais.

Être suspendu aux lèvres de quelqu'un n'est pas douloureux! L'expression signifie l'écouter avec attention. Pas besoin de faire la baboune pour si peu...

— FrouFrou! crie Foxy.

Le chien a échappé à son attention et a détalé dans le couloir en aboyant.

— Vite! Il est notre unique chance de sortir du Labyrinthe! **Au pied**, sale cabot!

Inutile de vous préciser qui a parlé...

On ne le voit déjà plus. Nous courons dans les couloirs en oubliant toute notion de PRUDENCE, et cela, au risque de nous cogner contre les murs à cause de la pénombre. L'écart entre nous et lui est maintenant considérable. Après un angle droit, nous **stoppons** à un carrefour. Trois nouvelles ouvertures nous sont proposées. Les jappements de FrouFrou s'amenuisent. J'explose :

— Ici, FrouFrou! S'il te plaît! Espèce de **tête de cochon**! Toi, si je t'attrape…

— Au lieu de te fâcher, me réprimande Foxy, il faut déterminer par où il est passé: à **GAUCHE**, au centre ou à **DROITE**.

Chaque seconde d'hésitation nous éloigne du caniche.

— Il a sûrement laissé sa signature quelque part? soulève Galopin.

— Oui, tu as raison! Foxy, tu as le meilleur flair de nous tous…

> Billy Stuart dit vrai, l'odorat du renard est très développé. L'animal peut sentir la piste d'un lièvre plusieurs heures après son passage...

— C'est ton chien, Billy Stuart, plaide-t-elle. Tu devrais reconnaître son odeur…

— Ce n'est pas **MON** chien et nous perdons de précieuses minutes à cause de toi.

La discussion est reportée à plus tard. Foxy, pour le bien du clan, marche sur son **orgueil** et se penche pour renifler au sol.

— *Pouah !* Ça pue l'ammoniaque… Bon, c'est par ici, annonce-t-elle en désignant l'entrée de droite.

Je hâte le pas :

— **Troupe, dépêchons-nous !**

Les jappements de FrouFrou se sont tus. Une pensée terrible me traverse l'esprit. Et si l'urine flairée par Foxy n'était pas celle du chien, mais celle du Minotaure ? Elle nous jetterait dans la gueule du loup…

Je sens subitement une sourde menace au-dessus de nos têtes. Comme si quelqu'un ou quelque chose nous observait.

Un cri éclate :

GRAOOOOOOOOOOOARRRRR !

La sourde menace fait pas mal de bruit ! Le hurlement est tout près. On aurait pu jurer qu'il provenait de l'autre côté du mur de pierre.

— Restons groupés, dis-je à mes amis dans un souffle.

Nous avançons lentement.

OOOOOOOOOOOH !

Nous avons atteint une vaste salle circulaire, parcourue de multiples ouvertures séparées par un muret. Comme si toutes les galeries du Labyrinthe **aboutissaient** à cet endroit sinistre.

« Rends-toi au cœur des dédales de la ville », a écrit mon grand-père Virgile.

Nous y voilà, au cœur des dédales !

CHAPITRE 10

Une ombre

Heureusement pour nous, ce n'est pas le Minotaure qui occupe les lieux, mais, malheureusement pour moi, c'est un caniche qui ne cesse de **bondir** sur ses deux pattes arrière.

D'innombrables torches **enflammées**, accrochées au-dessus de chaque ouverture, illuminent la grande salle du Labyrinthe. À tout moment, je m'attends à ce que le monstre surgisse de l'une de ces entrées – ou de ces sorties, selon le sens de la circulation – et fonce sur nous.

JE SURSAUTE. De nouveau, j'ai senti une présence derrière moi. De nouveau, elle disparaît aussitôt…

GALOPIN, TU AS VU QUELQUE CHOSE ?

NON, BILLY STUART, ET POURTANT, JE GARDE LES YEUX OUVERTS DES DEUX CÔTÉS!

LÀ! UNE OMBRE!

OÙ ÇA?

QU'ELLE Y VIENNE! NON, MAIS QU'ELLE Y VIENNE!

TROUPE, SOYONS SUR NOS GARDES, ON NOUS ÉPIE...

CE ... CE SONT DES ... DES FANTÔMES?

LES ÂMES DES VICTIMES DU MINOTAURE QUI HANTENT LE LABYRINTHE...

PRÉPARE-TOI À TIRER...

!!!

!!!

MON PARFUM EST INEFFICACE CONTRE LES ESPRITS!

ON TENTE DE NOUS DIVISER.

Un mugissement terrible **explose** dans la pièce. Puis une voix féminine :

— Ah ! vous voilà ! Il était temps…

Une mince silhouette vient de surgir de la porte devant nous.

— Il arrive ! déguerpissez d'ici !

Dès qu'il aperçoit la jeune fille, car c'en est une, le caniche court vers elle en aboyant et en sautant de joie.

À la lueur des torches, son visage se révèle. Avec ses **yeux noirs**, les présentations ne sont pas utiles. Nous avons reconnu la sœur du capitaine du navire.

— Timorée ! lance Foxy. Vous êtes vivante !

— Non ! rétorque Muskie. Elle est morte ! C'est un fantôme ! Fuyons !

Timorée est d'une pâleur cadavérique – visiblement à cause du manque de *soleil* –, accentuée par le port d'une grande robe blanche.

Elle s'avance vers nous, l'air ébahi.

— Vous... vous me connaissez?

Brièvement, je lui explique pourquoi.

— Mon frère ne m'a pas oubliée, dit-elle, émue.

— Comment avez-vous survécu? demande Foxy, avec FrouFrou de retour à ses pieds.

— C'est une longue histoire, soupire-t-elle.

Elle me regarde et son visage se transforme en expression d'épouvante.

— Du **ROUGE**! Vous portez du **ROUGE**! panique-t-elle.

— Euh... Oui. Et alors?

Elle jette des regards inquiets autour de la salle.

— Il attaque tout ce qui est **ROUGE**!

— Comme un taureau, reprend Galopin. Il voit **ROUGE**!

En même temps, je découvre pour quelle raison on exigeait des sacrifiés le port d'un vêtement **ROUGE**.

Cette fois-ci, le caméléon a tort. La vision du taureau est en noir et blanc. Le rouge, en tant que couleur, n'énerve donc pas l'animal. C'est plutôt l'agitation de la cape du toréador qui l'excite. Si la cape est rouge, c'est simplement (et de façon macabre) pour masquer les taches de sang laissées sur le drap par les blessures du taureau... Par contre, dans l'histoire qui nous intéresse, le Minotaure étant mi-homme, mi-animal, on peut penser qu'il distingue effectivement le rouge, au grand malheur des Zintrépides. Quant à l'expression *voir rouge* (nuance), elle indique une vive colère. Autre mauvaise nouvelle pour nos amis.

— Ça parle aux millions d'écrevisses de la rivière Bulstrode !

Ma gorge se noue… Le foulard rouge à notre cou ! Un élément **INCONTOURNABLE** dans le costume des Zintrépides.

— Troupe, il faut enlever notre foulard ! C'est urgent !

Comme je suis le seul à avoir une véritable dextérité manuelle, les membres de la meute forment une rangée devant moi pour **L'OPÉRATION NŒUD DE FOULARD ROUGE**. Le coup de main de Timorée est le bienvenu. Je défais les nœuds de Foxy et de Yéti tandis qu'elle se charge de ceux de Muskie et de Galopin. Celui-ci, près de la jeune femme, vire au blanc comme sa robe.

Chacun range son foulard dans son sac à dos.

Le feu des torches vacille. Quelqu'un au **souffle bruyant** et enragé vient d'entrer dans la pièce…

CHAPiTRE 11

Le monstre qui voit rouge

L'écume à la gueule, le Minotaure émet un puissant **MUGISSEMENT** qui ébranle les murs.

— Muskie, tu pourrais l'arroser…

— Je voudrais bien, mais il ne me reste pas assez de « parfum », Billy Stuart, se justifie-t-elle.

— Tu n'as pas pu te recharger, depuis le temps?

— Non, il me faut patienter une semaine complète avant de refaire le plein…

— Ça fait des millénaires depuis ton dernier jet avec l'**OURS NOIR**! Et si ça continue, on risque de ne plus être là la semaine prochaine.

Le Minotaure est exactement comme je l'avais vu dessiné dans les livres: tête de taureau, corps d'homme,

vêtu d'un **PAGNE**. Toutefois, il est beaucoup plus grand que je l'aurais cru. Au moins trois mètres. Ce géant… monstrueux ne fera qu'une bouchée de nous. Une entrée qui précède le mets principal constitué d'Athéniens.

— Qu'il y vienne! Non, mais qu'il y vienne! s'excite Yéti. Enfin, un adversaire à ma taille.

Muskie n'a pas le temps de le retenir par le collet. La belette file droit vers le Minotaure et se cramponne à sa jambe. Ses bras minuscules peinent à faire le tour de sa cheville.

— Je l'ai! Je l'ai! hurle Yéti. Il est à ma merci! Ne vous en faites pas! C'est juste une grosse vache au masculin!

Le Minotaure ne s'aperçoit pas de sa présence. Que va-t-il faire? Ses **grands** yeux bruns fous se fixent sur… moi! Pourquoi moi?

— Ta jupe! avertit Timorée. Débarrasse-toi de ta jupe!

— Ce n'est pas… C'est un **kilt**!

— Oui, mais un kilt… **ROUGE**! souligne la jeune femme.

La couleur rouge du kilt de notre ami — ainsi que le vert — est associée au clan des Stuart (également Stewart). S'il s'était nommé MacArthur, le vert aurait été la couleur prédominante (accompagnée de traits noirs et jaunes) du tartan (tissu). À ce moment, Billy MacArthur n'aurait eu aucun problème avec le Minotaure…

PROBLÈME

AUCUN PROBLÈME

Comment peut-on avoir pensé aux foulards rouges et négligé un détail d'une telle importance? En désespoir de cause, je me tourne vers... FrouFrou!

— Allez, le chien! Attaque! Attaque! **Grrrrrr... Grrrrrr... ! Skisssss! Skisssss!** Ce... ce n'est pas, c'est un facteur déguisé en Minotaure pour l'Halloween...

— Tu es stupide, Billy Stuart, se fâche Foxy.

— Attention! prévient Muskie.

À l'image d'un taureau dans une **corrida**, le Minotaure fonce sur moi, tête baissée, cornes armées.

— Ne t'en fais pas, Billy Stuart! Je le retiens! m'avertit Yéti, toujours agrippé à la jambe du monstre.

Il s'approche et s'approche, grognant, prêt à m'encorner. D'un coup de bassin vers la droite, j'esquive la charge d'un poil.

— **OLÉ!** crient les membres de ma meute, à l'abri dans l'une des ouvertures.

— Toréador! Prends garde à toi! recommande Foxy.

Emportée par son élan, la bête D É R A P E et *glisse* sur le plancher. Ce qui me permet de fuir. J'essaie de mettre le plus de distance entre le Minotaure et moi. FrouFrou, croyant à un jeu, s'amène et *bondit* joyeusement sur deux pattes autour de moi.

— Ce n'est pas le moment, sale cabot ! Va-t'en !

— Ici, FrouFrou ! ordonne Foxy d'une voix forte pour couvrir les **MUGISSEMENTS** incessants du Minotaure.

Le caniche obéit à la renarde au moment où le monstre repasse à **l'attaque**.

— Enlève ton kilt! dit Timorée. C'est ta seule chance!

Nooooooon ! Un raton tient à sa dignité, même quand il sait sa dernière heure venue.

— Plutôt mourir!

— C'est ce qui risque de t'arriver si tu t'entêtes, Billy Stuart! craint Muskie.

J'ai osé poser LA question à Billy Stuart: portait-il quelque chose sous son kilt? À cela, il m'a répondu: «Ce qu'un gentilhomme porte sous son kilt ne regarde que lui... Un raton bien élevé se montre discret sur le sujet. Mais j'avoue que je dois faire attention les jours de grands vents!»

Courir en ligne droite ne convient pas dans les circonstances. Je zig za gue dans la grande salle pour dérouter mon abominable adversaire. Mon agilité, plus que ma rapidité, me vaut d'être encore de ce monde. Plus d'une fois, je bifurque à la dernière seconde dans la direction opposée, ce qui exaspère le Minotaure, furieux de m'avoir raté.

Pendant combien de temps vais-je pouvoir repousser l'aboutissement inévitable de cet AFFRONTEMENT, soit d'être embroché vivant?

Les Zintrépides les plus rapides

Dans la jungle touffue, au pied d'un très haut cocotier, les membres des Zintrépides observent l'arbre. Il est tellement élevé qu'ils ont le cou cassé à trop vouloir apercevoir sa cime. Son tronc est si large que même en se tenant la main, nos amis ne parviennent pas à en faire le tour.

Les Zintrépides sont affamés ; ils n'ont pas mangé depuis des heures. Ils s'interrogent du regard. Qui, de Billy Stuart, Foxy, Muskie, Galopin, Yéti et pourquoi pas FrouFrou, sera capable de grimper là-haut le plus rapidement possible pour en rapporter une banane ?

« Ouaf ! Ouaf ! » aboie FrouFrou, le chien de Billy Stuart, comme s'il voulait risquer l'aventure.

— Ce n'est pas MON chien ! se hâte d'indiquer Billy Stuart.

Alors, selon toi, lequel de nos amis sera le plus rapide à accomplir la tâche ? Une précision : tous les membres des Zintrépides peuvent monter aux arbres.

Ta réponse reflétera ta personnalité.

Solution à la page 157

CHAPITRE 12

Avec l'aide de mes amis

Je jette un coup d'œil aux Zintrépides. Galopin fouille dans son sac. Que fait-il ? Non ! C'est du suicide !

Il s'empare de son foulard rouge et l'étend sur son corps qui en adopte aussitôt la couleur. Cette couleur qui attire les **FOUDRES** du Minotaure.

— Je vais créer une diversion ! Sauve-toi, Billy Stuart !

Le caméléon rouge se braque au milieu de la grande salle. Le Minotaure, à la course derrière moi, l'aperçoit et renonce à me poursuivre pour l'instant. Mugissant, il fonce vers Galopin, immobile telle une **STATUE DE PIERRE**. Mon ami n'a aucune chance de s'enfuir. Je m'écrie :

— NOOOOOOOOOOON !

Tout à coup, Galopin lance le **mouchoir** au loin. Puis, il se couche au sol et prend immédiatement la couleur brune du plancher de marbre. Pour le Minotaure, c'est comme si sa cible s'était évanouie dans l'air. Il freine au-dessus de mon **courageux** compagnon, mais sans détecter sa présence. Le caméléon s'est carrément fondu dans le décor.

Yéti, qui est aux premières loges, lui envoie la main et montre le pouce en signe de victoire. Une **VICTOIRE** temporaire qui m'a permis de récupérer un peu. Mais je ne suis pas hors de danger pour autant.

Le Minotaure lève sa gueule vers le ciel et pousse un LOOOOOOOONG cri. Ensuite, il baisse sa tête de taureau et m'aperçoit dans un coin de la salle. Il gratte avec puissance le plancher, puis il galope dans ma direction. Je n'ai plus le choix. Galopin a risqué sa vie pour moi. **AU DIABLE**, la dignité !

Dans un geste vif, que j'ose qualifier de courageux, je détache ma ceinture pour retirer mon kilt.

— Lance-le au loin ! m'implore Foxy.

— D'accord, troupe ! Mais regardez ailleurs ! dis-je à mes amis qui ne m'écoutent pas, à l'évidence.

Je fais **VIREVOLTER** mon kilt au-dessus de ma tête avant de le projeter vers le centre de la pièce. C'est alors que l'impensable se produit. Cet imbécile de chien, que je ne veux pas nommer, se précipite pour aller chercher le vêtement. Il le ramasse dans sa gueule et accourt vers moi pour me le redonner, avec le **MINOTAURE** sur ses talons.

— Lâche ça, FrouFrou ! commande Foxy.

Le caniche n'entend rien, trop concentré à s'amuser au jeu « Rapporte » avec moi… Je dois me sauver de nouveau.

Quelle scène épique ! Le Minotaure pourchasse un chien qui essaie de rattraper un raton à demi vêtu. Je feinte vers la **DROITE** et confonds le monstre, puis je me dirige vers la ◄ GAUCHE . FrouFrou, lui, me suit comme une ombre et risque de me faire chuter ou de me ralentir.

Sans cesser de courir, j'essaie de lui enlever le kilt de la gueule.

— Donne, stupide **POMPON** à quatre pattes! Donne!

— Billy Stuart, arrête de l'insulter! hurle Foxy. Donne, FrouFrou, s'il te plaît!

Je n'ose le lui arracher, de peur que le tissu ne soit endommagé par les CROCS du caniche. J'entrevois le monstre qui revient à la charge.

J'assène une CHIQUENAUDE sur le sensible museau du chien. Il émet un cri plaintif, lâche le morceau et part trouver réconfort dans les bras de Foxy.

Je reprends ma course le long des murs, le kilt en main au lieu d'autour de ma taille. Cette fois-ci, je sais comment se déroulera le dernier acte…

CHAPITRE 13

Tête de veau !

Cet imbécile de FrouFrou à l'abri auprès de Foxy, le Minotaure n'en a plus que pour moi, maladivement **ensorcelé** par la couleur rouge de mon kilt.

Je ne longe plus les murs, mais je file en ligne droite vers le centre de la salle. Mon plan peut marcher, mais je sais que je n'aurai pas une seconde chance. C'est maintenant ou jamais.

— **Bouge-toi** un peu, Billy Stuart ! m'implore Muskie. Il est presque sur toi !

Oui, merci de me le rappeler. Je jette un bref regard derrière moi. J'attends un peu… un petit peu… un tout petit peu…

Là !

J'envoie mon kilt dans les airs. Au lieu de tomber par terre, mon vêtement s'accroche à l'une des cornes du Minotaure. Le **monstre** s'arrête brusquement. Le kilt rouge se balance devant ses yeux. Attirée par lui, comme le fer par un aimant, la bête monstrueuse **s'élance**, la vue partiellement obstruée.

PAR ICI, TÊTE DE VEAU!

GRRRRR

POK

OLÉ!

CECI M'APPARTIENT!

IL FALLAIT UN FRONT DE BOEUF POUR OSER FAIRE ÇA, BILLY STUART!

Avoir un *front de bœuf* signifie avoir de l'audace. Il s'agit d'une expression particulière au Québec. Ne pas confondre avec *avoir un air de bœuf*, autre expression populaire chez nous.

GRRMLRGRRR...

TROUPE, NE NOUS ATTARDONS PAS ICI !

ET L'INDICE, BILLY STUART ?

PLUS UNE SECONDE À PERDRE, FILONS AU PLUS VITE...

POUR ALLER OÙ ? C'EST IMPOSSIBLE DE SE RETROUVER DANS LES DÉDALES.

ELLE EST LÀ, NOTRE BOUSSOLE !

OUAF !

TROUVE LA SORTIE, LE CHIEN...

TROUVE LA SORTIE, MON BEAU FROUFROU, S'IL TE PLAÎT.

VOTRE QUOI ?

NOTRE BILLET POUR L'EXTÉRIEUR.

Le caniche flaire le sol, cherche et détale vers un couloir à quelques mètres à notre gauche. Il s'y engouffre en jappant comme pour signifier : «**Venez avec moi!**» Nous l'y suivons.

Avant de **m'enfoncer** dans le couloir, je regarde une dernière fois dans la grande salle. Quel était ce fameux indice «au cœur des dédales...» de mon grand-père Virgile?

ALERTE ! Le Minotaure tente de se remettre debout. Il a une immense bosse sur son front. Un genou à terre, il se relève péniblement. Sur ses jambes, il chancelle. Quand il remarque notre disparition, il **HURLE** sa fureur. Il fait quelques pas dans ma direction. Puis, comme si une corde invisible le tirait vers sa droite, il trébuche de nouveau. Visiblement, il n'a pas encore recouvré tous ses sens.

— Allez, troupe ! Il ne faut pas moisir ici !

Je me retourne et je découvre subitement… que je suis **seul** ! On ne m'a pas attendu…

L'exploit

Ça parle aux millions d'écrevisses de la rivière Bulstrode! Me revoilà perdu dans le Labyrinthe!

C'est très **ironique**. Après avoir combattu et terrassé le Minotaure, après avoir sauvé la vie de mes compagnons, ceux-ci m'abandonnent comme une **VIEILLE CORNEMUSE** trouée. Ils se sont enfuis sans moi, guidés par un chien dont je me suis occupé jour et nuit et à qui j'ai consacré les meilleures journées de mes vacances d'été. Pour la reconnaissance, on repassera.

BANDE D'INGRATS!

Comment atteindre la sortie maintenant? Tous les couloirs se suivent et se ressemblent. Si je choisis la mauvaise direction, je risque d'errer là-dedans jusqu'à la fin de

mes jours, ce qui va se produire d'ici peu, soit dès que le monstre reprendra sa poursuite.

Et si je ne bouge pas, le résultat sera le même…

L'angoisse de cette fin proche m'empêche de réfléchir. Ça et les mugissements du Minotaure…

Suis-je assez bête? C'est pourtant d'une simplicité enfantine. Il me suffit d'essayer de flairer la piste laissée par FrouFrou. Il doit subsister une odeur marquante de son passage.

Je m'accroupis pour détecter vous-savez-quoi à la base des murs. Préoccupé par mes recherches olfactives, je n'ai pas entendu arriver la bête…

Je sursaute lorsque je l'aperçois… bondissant de joie sur ses deux pattes arrière.

— Tu étais là, toi! se réjouit Foxy. Je pensais que tu t'étais égaré, mon beau petit trésor adoooré.

Si j'étais Galopin, ma peau se teinterait des couleurs de rouge kilt tant ses mots me font chaud au cœur… Foxy qui me qualifie de son petit trésor adoooré…

MOI AUSSI, JE SUIS CONTENT DE TE... !!!

AH! TE VOILÀ, BILLY STUART! À CAUSE DE TOI, ON A GASPILLÉ DU TEMPS ET ON A FAILLI PERDRE FROUFROU!

MOI AUSSI, JE SUIS CONTENT DE TE REVOIR, FOXY...

TU PEUX REMERCIER MUSKIE, ELLE EST LA SEULE À S'ÊTRE APERÇUE DE TON ABSENCE...

ET TON CHIEN T'A RETROUVÉ, IL MÉRITE DES REMERCIEMENTS.

C'EN EST PAS MON CH...

ASSEZ DISCUTÉ! PARTONS!

SORS-NOUS D'ICI, MON BEAU FROUFROU, S'IL TE PLAÎT...

TROUPE, DEMEURONS ENSEMBLE, CETTE FOIS-CI...

Notre course, car nous ne marchons pas, dans les couloirs **OBSCURS** m'apparaît interminable. Les grognements du Minotaure sont de plus en plus audibles, signe évident qu'il se rapproche de nous. De plus, nous sommes *ralentis* parce que le caniche, souvent trop pressé, a perdu la piste et qu'il doit la retrouver. C'est très énervant.

J'éprouve la douloureuse impression que nous tournons en rond depuis les dernières minutes.

ERREUR!

Le chien a senti juste! La lumière du jour au bout du couloir nous indique la sortie. Nous émergeons à l'extérieur du Labyrinthe, éblouis par les rayons du soleil couchant qui dardent l'entrée.

Il n'y a pas plus surpris de nous voir que le gardien, Ronos.

— C'est la première fois que quelqu'un en sort VIVANT!

La rumeur de notre exploit se répand comme une traînée de poudre dans la ville.

Déjà, des gens se rassemblent autour du Labyrinthe pour constater ce *prodige*. Le roi, alerté, débarque promptement avec ses gardes armés. Il a fait mander les prisonniers athéniens.

Devant cette foule qui nous acclame, je me félicite d'avoir récupéré mon kilt! Apparaître à demi vêtu en public aurait été terriblement humiliant pour moi.

Une nouvelle menace...

La surprise passée, le gardien Ronos jubile. Le roi Minos lui donnera la main de sa fille et sa fortune puisque quelqu'un a surmonté l'épreuve du Labyrinthe. Le grand jour est enfin arrivé pour lui !

Le roi, suivi de sa garde, se déplace jusqu'à nous, la mine faussement aimable. Ronos salue une belle jeune femme aux Longs cheveux noirs, un peu en retrait. Elle est sans doute la promise au gardien.

Derrière eux sont rassemblés les Athéniens, vêtus d'un vêtement rouge, qui allaient être jetés en pâture au Minotaure au cours des prochains jours. Je reconnais parmi eux Zeppelinos, heureux de nous revoir en vie.

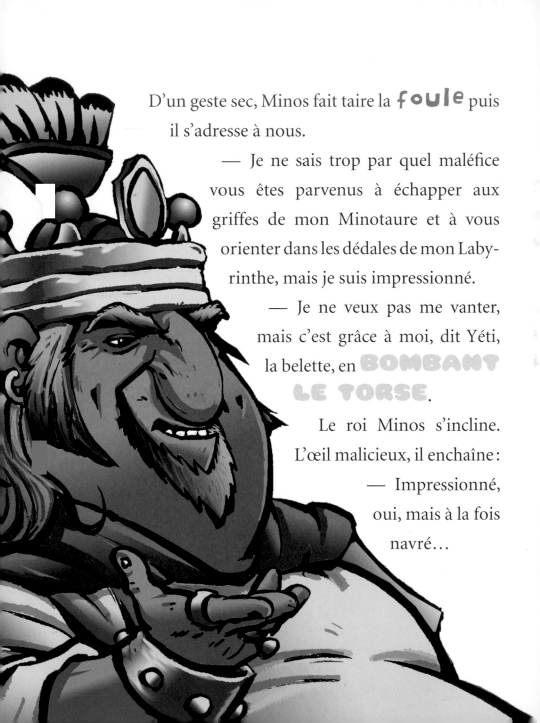

D'un geste sec, Minos fait taire la **foule** puis il s'adresse à nous.

— Je ne sais trop par quel maléfice vous êtes parvenus à échapper aux griffes de mon Minotaure et à vous orienter dans les dédales de mon Labyrinthe, mais je suis impressionné.

— Je ne veux pas me vanter, mais c'est grâce à moi, dit Yéti, la belette, en **BOMBANT LE TORSE**.

Le roi Minos s'incline. L'œil malicieux, il enchaîne :

— Impressionné, oui, mais à la fois navré…

Navré? Pourquoi?

Il CLAQUE des doigts et les soldats s'amènent vers nous, en poussant les Athéniens devant eux.

— Navré, parce que je devrai exécuter la tâche que le Minotaure a été incapable de réussir. On ne sort pas vivant du Labyrinthe. Notre réputation dans le monde moderne est en jeu. Les dieux seront fâchés de ne pas recevoir leur offrande. Et puis, comme le Labyrinthe est notre principale attraction touristique… Vous comprenez, vous laisser la vie m'obligerait à changer ma devise *géniale* : « Quand on y entre, on n'en sort jamais ! »

De la pointe de leurs lances, les gardes nous obligent à reculer vers les murs du Labyrinthe.

— Lui également ! ordonne le roi en désignant le gardien, Ronos.

— Père ! Vous n'avez pas le droit, objecte sa fille en pleurs. Vous nous aviez promis !

Je me trouve près de l'entrée du Labyrinthe. J'avise immédiatement les Athéniens de retirer leurs vêtements rouges et de les jeter devant eux. Sans poser de question, ils **obéissent**. Je prie Zeppelinos de me remettre le sien. Le roi ne se doute pas de la suite des événements.

Le roi Minos bégaie. Les gens sont frappés de STUPEUR.
Les soldats baissent leurs armes et reculent précipitamment.

Car le Minotaure a surgi du Labyrinthe.

Aveuglé par le soleil, il cherche à se protéger les yeux.

— Que personne ne bouge, dis-je à tous.

Je projette en l'air le vêtement rouge de Zeppelinos qui,
emporté par une bourrasque de vent, atterrit… sur la tête
du roi.

Le Minotaure, dans un rugissement d'enfer, s'élance
vers Minos. Son action sème la **PANIQUE** parmi la foule.
Tous fuient le monstre… tous, sauf le roi qui ne voit plus
rien.

Il retire vivement la robe sur sa tête.

— Qui a osé s'attaquer au roi? s'indigne-t-il, frustré et
rouge de colère.

Être rouge de colère, rire jaune, voir la vie en rose…
Plusieurs expressions sont liées à la couleur. En ce
sens, le pauvre roi sera bientôt vert… de peur!

Il aperçoit le Minotaure à quelques centimètres de son visage. D'une main robuste, le monstre s'empare de sa proie royale, rendue **hystérique**, et la charge sur son épaule. Ensuite, il choisit sagement de rentrer au bercail, dans la solitude de son Labyrinthe.

Nous tirons profit du désordre qui règne désormais pour nous enfuir vers le PORT DE CNOSSOS.

À bon port

Sommes-nous des fugitifs? En compagnie des Athéniens, devrions-nous nous diriger vers le port en empruntant des sentiers peu fréquentés? Pas du tout! À Cnossos, la rumeur publique veut que le Minotaure soit en liberté. Les plus **PEUREUX** ou les plus *sages* se terrent chez eux; les plus courageux foncent vers le Labyrinthe, épée à la main, pour libérer la ville de ce monstre et passer à l'histoire; les plus CURIEUX ne peuvent résister à l'appel du spectacle et accourent vers les lieux du drame.

Nous n'avons pas à nous inquiéter pour l'instant. Pour ces raisons, nous marchons sur la voie principale.

— Nous sommes libres! célèbre Timorée.

— Libres? dis-je, incrédule.

Les membres de la meute des Zintrépides savent exactement pourquoi j'emploie ce ton. Peut-on être vraiment libres quand on débarque dans un pays étranger après avoir **remonté le temps** sur des milliers d'années ?

À ce stade-ci de notre aventure, l'unique différence entre le Labyrinthe et cette route, c'est qu'il n'y a pas de monstre à nos trousses. Dans un cas comme dans l'autre, nous ignorons ce qui nous attend. Notre DESTIN est-il lié à jamais à cette île de Crète ? Devrait-on partir en bateau ? Pour aller où ? Sera-t-il possible de rentrer chez nous, au

vingt et unième siècle, sans l'indice que l'on devait repérer « au cœur des dédales… » ?

La seule chose que nous rapportons de notre séjour dans le Labyrinthe est Timorée… Et ce n'est pas une chose, encore moins un indice.

— Avec un peu de chance, le **BATEAU** de votre frère sera encore accosté, lui dis-je.

— Timorée, comment avez-vous survécu dans le Labyrinthe ? demande Muskie.

— Ah ! C'est une longue histoire. J'y suis parvenue en…

Au sommet de la colline qui offre une vue imprenable et *magnifique* sur le port de Cnossos, la jeune femme interrompt son récit. Elle vient de reconnaître le bateau de son frère, le capitaine Loslobos.

— Oui ! Il est là ! Hâtons-nous !

Elle dévale la pente, au risque de se blesser.

Une fois sur le quai, elle cherche frénétiquement son frère à bord du navire. Il est dos à nous et fixe la mer. Timorée crie son nom et agite la main :

— Loslobos ! Loslobos !

Le capitaine se retourne vivement. Tout son être explose de joie.

— Timorée ! Timorée !

Le frère et la sœur se rejoignent sur la passerelle et se jettent dans les bras l'un de l'autre. Les retrouvailles sont très *émouvantes*, les larmes coulent abondamment.

Nous montons à notre tour. Le capitaine nous reçoit en héros.

— Ah! mes amis! Merci d'avoir sauvé ma sœur. Ma reconnaissance vous sera éternelle. Ce bateau est votre bateau…

— **CHIC!** C'est moi qui conduis! s'enthousiasme Yéti.

— Larguez les amarres! ordonne le capitaine. Nous rentrons chez nous!

L'indice

L'utilisation des *rames* n'est pas nécessaire pour le voyage de retour vers Athènes. Le vent souffle en abondance dans les voiles blanches déployées au mât de la nef. En hommage à sa sœur, le capitaine Loslobos a fait abattre les **voiles noires** pour les remplacer par d'autres, plus adéquates pour les célébrations.

Il n'y a, à bord, qu'Ugobos, le gardien des esclaves, qui affiche une mine sombre, dépité de nous voir amis avec son supérieur. Il préfère fuir notre compagnie. Tant mieux… pour nous !

Pour le repas à la TABLE du capitaine, on m'a assigné une place à la gauche de Timorée. Nos aventures m'ont creusé l'appétit. J'ai faim !

On ne sait toujours pas par quel miracle la jeune femme a survécu dans le Labyrinthe. Mais pour moi, c'est le dernier de mes soucis. Qu'elle ait mangé des **rats** ou des **BLATTES** ou encore qu'elle ait bu de l'eau de pluie pendant des semaines m'importe peu.

Les blattes sont des coquerelles. Si vous coupez la tête d'une coquerelle, elle restera vivante, malheureusement, pendant une semaine... C'est blatte, hein?

— Timorée, lorsque nous vous avons rencontrée dans la grande salle pour la première fois, pourquoi nous avoir dit : « Il était temps » ?

CONFUSE, elle se cache le visage dans ses mains.

— C'est vrai, Billy Stuart. Belle façon d'accueillir mes sauveurs…

— Vous attendiez notre venue ? Comment est-ce possible ?

Le silence se fait autour de la table. Mes compagnons prêtent une *oreille attentive* à notre discussion, à l'exception de Yéti, qui raconte ses multiples exploits au capitaine Loslobos.

— Un de vos… **euh…** – elle s'assure d'employer le mot juste – semblables accompagnait mon groupe dans le Labyrinthe. Il vous ressemblait, Billy Stuart, mais en pas mal plus vieux…

Ça parle aux **MILLIONS** d'écrevisses de la rivière Bulstrode !

MON GRAND-PÈRE VIRGILE?

IL NE S'EST PAS NOMMÉ. JE PEUX VOUS GARANTIR QU'IL A FAIT PREUVE D'UN COURAGE ET D'UNE GÉNÉROSITÉ HORS DU COMMUN.

IL A PRIS VOLONTAIREMENT LA PLACE D'UN JEUNE GARÇON, MALADE, AU MOMENT D'ENTRER DANS LE LABYRINTHE, IL LUI A SAUVÉ LA VIE, C'EST CERTAIN.

C'EST MON GRAND-PÈRE, UN HÉROS DANS LE SENS LE PLUS NOBLE DU TERME.

Timorée boit une **gorgée de vin**, se gargarise, s'en remplit les joues puis avale. Elle reprend son récit.

— Votre grand-père, Billy Stuart, a compris que le rouge attirait le **MINOTAURE**. Je suis la seule à l'avoir écouté. Une fois à l'intérieur du Labyrinthe, j'ai enfilé une robe blanche. J'ai été l'unique survivante du groupe.

ET MON GRAND-PÈRE?

IL A DISPARU UN JOUR APRÈS M'AVOIR PROMIS QUE QUELQU'UN VIENDRAIT ME SORTIR DE CE PIÈGE

IL AVAIT PRÉVU LA SUITE DES CHOSES!

J'IGNORE CE QUI LUI EST ARRIVÉ.

À LA SANTÉ DU GRAND-PÈRE DE BILLY STUART!

VOTRE GRAND-PÈRE M'A CONFIÉ CE CAILLOU.

!?!?

JE DEVAIS LE REMETTRE À CELUI QUI ME SAUVERAIT. IL M'A AFFIRMÉ QU'IL SAURAIT QUOI EN FAIRE.

ON DIRAIT UN MORCEAU DE CHARBON...

QU'EST-CE QUE C'EST?

!?!

Je fouille dans mon sac à dos et j'en sors le **carnet de cuir**. Je l'ouvre et je le feuillette. Voilà le plan grossièrement dessiné puis le message de mon grand-père Virgile. J'arrête à la page blanche. Je la noircis en y frottant le **charbon**.

— Quel est ce prodige ? s'étonne le capitaine tandis que se révèle l'écriture de mon grand-père Virgile.

Je le lis à voix haute :

« Si tu as ce message en main, c'est que tu marches sur mes traces. **BRAVO**, Billy Stuart ! Le Minotaure était une belle entrée en matière pour un tel voyage, n'est-ce pas ? Pour la suite des choses, tu devras aller au-delà des mers, affronter **MILLE DANGERS**, afin de regagner la route te menant à la maison. Ça va te changer de tondre le **gazon** ou de promener le chien, non ? »

Je réserve un regard noir au caniche qui agite sa queue.

— Qui sait ? me taquine Galopin. Un jour, quelqu'un écrira ton histoire et il l'intitulera : *Les aventures de Billy Stuart et FrouFrou !*

Les Zintrépides éclatent de *rire*. Le chien renchérit en dansant sur place.

Dans les aventures de Tintin, publiées en feuilleton dans l'hebdomadaire qui portait son nom, le créateur Hergé titrait : *Les aventures de Tintin et Milou...* La perspective d'accoler le nom de FrouFrou à celui de Billy Stuart pour les couvertures de cette série de livres me séduisait. J'en ai discuté avec le principal intéressé. Il a refusé catégoriquement.
Êtes-vous surpris ?

Avec ce caniche dans les pattes, j'ai l'impression de traîner mes **devoirs** pendant mes vacances...

— Que voulait dire votre grand-père ? s'informe Timorée. De quel voyage parle-t-il ? Et que signifie « tondre le gazon » ? C'est une de vos expressions ?

Je *soupire* en hochant la tête :

— Ça aussi, c'est une longue histoire...

— Nous avons le loisir de l'écouter, indique Loslobos.

Lui et sa sœur ne me croiront pas. **Tant pis !**

Je désigne mon clan :

— Vous l'aurez remarqué, nous ne sommes pas de chez vous. En vérité, nous venons de votre fut...

Mon récit est coupé par l'irruption d'un matelot dans la cabine.

CHERCHE ET TROUVE

Peux-tu repérer ces éléments dans le livre?

RECHERCHÉ

RECHERCHÉ

RECHERC

RECHERCHÉ

RECHERCHÉ

RECHERCHÉ

RECHERCHÉ

RECHERCHÉ

RECHERCHÉ

RECHERCHÉ

Solution à la page 157

SOLUTIONS

SENS DESSUS DESSOUS (P. 20)

VOICI UNE DES SOLUTIONS POSSIBLES:

FAIM—FAIT—SAIT—SOIT—SOIF

ANAGRAMME (P. 32)

MINOS – SIMON / MONSTRE – MONTRES / CHIEN – CHINE
NAVIRE – AVENIR / PORT – TROP

LES RÉBUS (P. 56)

MIE-NOTES-OR (MINOTAURE)
PAS-SŒUR-AILE (PASSERELLE)
LA-BEE-REIN-T (LABYRINTHE)

L'ÉNIGME (P. 70)

IL Y A PLUSIEURS SOLUTIONS POSSIBLES. EN VOICI UNE:
MUSKIE ET GALOPIN SONT LES PREMIERS À TRAVERSER À BORD DE
  LA CHALOUPE.
GALOPIN DÉBARQUE, MUSKIE REVIENT.
MUSKIE DÉBARQUE, FOXY ET YÉTI TRAVERSENT.
FOXY ET YÉTI DÉBARQUENT.
GALOPIN TRAVERSE, VA CHERCHER MUSKIE.
MUSKIE ET GALOPIN TRAVERSENT
GALOPIN DÉBARQUE ET MUSKIE VA CHERCHER
  BILLY STUART.
MUSKIE DÉBARQUE ET BILLY STUART TRAVERSE.
GALOPIN REVIENT CHERCHER MUSKIE,
  LES DEUX TRAVERSENT ET LE TOUR EST JOUÉ.

LES ZINTRÉPIDES LES PLUS RAPIDES (P. 110)

SI TU AS CHOISI BILLY STUART, TU ES DU GENRE QUI AIME MENER UN GROUPE; C'EST TOI QUE LES GENS SUIVENT NATURELLEMENT. MAIS DÉSOLÉ, CE N'EST PAS LA BONNE SOLUTION.

SI TU AS RÉPONDU FOXY, TU ES UNE PERSONNE RUSÉE; TU SAIS COMMENT ARRIVER À TES FINS. ON DIT DE TOI QUE TU ES UN FIN RENARD. MALHEUREUSEMENT, TU ES DANS L'ERREUR.

SI TU CROIS QU'IL S'AGIT DE MUSKIE, TU ES TENACE. TU NE LÂCHES PAS TANT QUE TU N'AS PAS ATTEINT TON BUT, PEU IMPORTE L'OBSTACLE. SAUF QUE TU TE TROMPES CE COUP-CI.

SI TU VOIS GALOPIN LE PREMIER EN HAUT, TU ES COMME LUI: PATIENT ET ASTUCIEUX. TU N'HÉSITES PAS À PRENDRE LE TEMPS NÉCESSAIRE POUR BIEN FAIRE LES CHOSES. ASTUCE OU PAS, TU AS RATÉ TA CIBLE.

SI TU OPTES POUR YÉTI, C'EST QUE TU ES UNE VRAIE BOULE D'ÉNERGIE. AUCUN DÉFI NE T'ARRÊTE. PAS MÊME CELUI QUI NOUS INTÉRESSE. CEPENDANT, IL NE FAUT PAS COMPTER SUR LA BELETTE POUR EXÉCUTER LA TÂCHE.

ENFIN, SI TU PRÉFÈRES FROUFROU, ET TU EN AS LE DROIT, TU ES L'AMI DE TOUT LE MONDE, SAUF DE BILLY STUART, MIEUX VAUT T'EN PRÉVENIR.

DONC? SI TU AS CONCLU QU'AUCUN DES ZINTRÉPIDES NE RÉUSSIRAIT SA MISSION, TU BRILLES PAR TON INTELLIGENCE! BRAVO! TU AS RAISON! TU AURAS COMPRIS QU'AU SOMMET D'UN COCOTIER, IL NE POUSSE PAS DE... BANANES!

CHERCHE ET TROUVE (P. 154-155)

TABLE DES MATIÈRES